Henri Cartier-Bresson

Henri Cartier-Bresson

à propos de Paris

Mit Texten von Vera Feyder
und André Pieyre de Mandiargues,
verfaßt für die Ausstellung
Paris à vue d'œil

SCHIRMER/MOSEL

Inhalt

Die Idee zu diesem Buch geht auf Lothar Schirmer zurück. Angeregt wurde sie durch den Katalog des Musée Carnavalet, der im November 1984 anläßlich der Ausstellung »Paris à vue d'œil« erschienen war.

Den Katalog, der seit langem vergriffen ist, hatte seinerzeit Maurice Coriat zusammengestellt. Für das neue Projekt vertiefte er sich noch einmal in meine Archive und wurde fündig: viele bisher unveröffentlichte Bilder gesellten sich zu den bereits veröffentlichten. Maurice Coriat brachte sie alle in eine buchgerechte Ordnung und fand dafür den richtigen Rhythmus.

Es lag mir viel daran, daß in diesem neuen *Paris à vue d'œil* noch einmal die für den Ausstellungskatalog verfaßten Texte von André Pieyre de Mandiargues und Vera Feyder abgedruckt werden.

Unverzichtbar schien es mir auch, die Bilder wenigstens annäherungsweise zu datieren, damit sie im Kontext ihrer Entstehungszeit gesehen werden können. Deshalb ist dieses Buch noch lange keine soziologische Studie über Paris und sein ausgedehntes Umfeld, das gar nicht vorkommt. Wichtig war etwas anderes: das Herumflanieren, das die uneingeschränkte Bereitschaft des Blicks erfordert.

Henri Cartier-Bresson

Unverstellbare Ausblicke auf Henri Cartier-Bresson

Vera Feyder

Gehorsam ist nie seine Stärke gewesen.

Ebensowenig die etablierte Ordnung oder die organisierte Unordnung. Und auf die ersten familiären oder gesellschaftlichen Ordnungsrufe hat er zweifellos nie anders geantwortet, als indem er sich taub stellte: das sicherste Mittel, alles nur nach seinem eigenen Kopf zu machen, ohne den der anderen allzu sehr gegen sich aufzubringen.

Zweifellos sollte er bereits als Kind sagen, was alle Kinder angesichts der Welt sagen, in die sie, sehr früh, einzutreten aufgefordert werden: »Ihr werdet schon sehen, was ihr dann zu sehen kriegt ...«, aber wie er sich damals aufs Geratewohl davonmachte, mit leeren Händen, allein auf seinen Traum bauend und nur sich selbst folgend, so kam er auch wieder, und man sah nichts, nichts als ein wenig von diesem lebhaften Wind, von dem er sich noch heute das erste Prickeln in den Augen bewahrt hat – die Dunkelkammer des Entwickler-Herzens öffnete erst später, sehr viel später ihre Pforten dem Inneren.

Aber sagte er nicht auch allen denen, die ihn damals drängten, zu bleiben, sich einzurichten, an Ort und Stelle *abzuwarten:* »Eines Tages werde ich ...«? Und an diesem Tage, wenn er denn gekommen ist, hat er sich zweifellos sehr früh mit ihm erhoben und ist, erst halb wach, allein ausgegangen, zur Stunde, da die Pilger und die Ausreißer sich auf den Weg machen, der sie ihrem Heil entgegenführt.

Mit dem Glauben der einen, der Berge versetzt, und der Mobilität der anderen, die ihre Verfolgung ermöglicht, wird ihm fortan die Freiheit gehören, auf allen Wegen, die er sich bahnen möchte, und unter der Bedingung, daß sie ihm immer als Leitstern dient auf diesem entfesselten Sturmlauf durch die optischen und abenteuerlichen Gefilde, die seine improvisierten und fieberhaften Irrfahrten sein werden, in Bereichen, die häufig eher unsicher sind als verheißen, eher menschlich als touristisch.

Und zwar deshalb, weil der Mensch überall den Umweg verdient, wie groß und zahlreich auch die über seinem Haupt aufgehängten Sterne sein mögen, aufgehängt wie die verstreuten Kleinodien einer Krone, die ihn daran erinnern, daß er auf Erden allerorten König ist; und daß auf dieser Welt niemand gehalten ist, seine Identität oder seine geographische oder soziale Position aufzugeben, um in allen Breiten und Klimata Stadt- und Heimatrecht, Blickrecht zu haben.

Zweifellos war das bereits die Zeit, als er in Paris, seine ersten Aktstudien skizzierend, insgeheim über die sanften Badenden von Bonnard nachgrübelte; und wenn er, zurückhaltend, einige Äpfel umkreiste (von denen seine heimatliche Normandie strotzt), war es der blaue Cézanne, an dem er sich im stillen abarbeitete. Jedem seine eigene Anleihe! Aber die doppelte Ungeduld, rasch zu leben und noch rascher mit dem Bild fertigzuwerden, das er malen möchte, ist zu groß, und weil es ihn nicht mehr an seinem Platz hält, verläßt er ihn. Und wie er bereits die Schule aufgegeben hat, läßt er auch die Académie André Lhote fahren, um sich den flüchtigen Rauchfahnen der Bahnhöfe zuzuwenden, die die abfahrbereiten Züge ausstoßen, und glücklich wie jener lösliche Fisch in den surrealistischen Gewässern, in die er einige Kopfsprünge getan hat, verschwindet er in der Natur – die er als tote so häufig gezeichnet hat und als lebende vorzieht, alles in allem genommen (und schnell genommen, wenn man jung und lebendig ist), und wenn sie einem auch übel mitspielt.

Er wird also sehen, schwarz und weiß, schwarz auf weiß, indem er vorübergehend die Schulmalerei schwänzt, indem er ihr mit dem Bild in die Parade fährt, das seinerseits nicht viel Federlesens macht, um zu sagen, was es zu sagen hat.

Was es in den ersten Jahren sagen wird, durchmißt vertraute und bereits eroberte, von der Eure, der Loire, der Seine durchströmte Landschaften; aber auch fernere, überseeische, außeratlantische: die Elfenbeinküste und der Fluß Cavali, New York und der Hudson River, Rio Balsas und Rio Grande in Mexiko, der Ebro in Spanien – dessen Erde und blutigrote Flüsse bald auf ganz Europa abfärben – und erneut Frankreich, das geknebelte, entstellte Frankreich; das besetzte Frankreich, in dem er in Gefangenschaft gerät und wieder entflieht, in dem er kämpft, im Untergrund, die photographischen Waffen in den Händen, bevor er wieder nach Paris und seinen Inseln zurückfindet – ins befreite, aber ekelerregende Paris, in ein

Paris, das noch völlig von der schwarzen Flut überflutet ist, die der Krieg ihm eingetränkt hat; Paris, in dem alle Kümmernisse bald grau werden, unter dem hellsten aller möglichen Himmel, weil er ins Licht der Ile-de-France getaucht ist.

Dorthin kehrt er zurück.

Er ist dort allein, wenn er auch bereits einige tausend Bilder hinter sich hat. Aber ist jemand wirklich allein, der sagt und immer wieder sagt: »Verstehst Du, die Photographie, das ist nichts. Was mich einzig interessiert, ist das Leben, das Leben, verstehst Du?« und auf die ersten Umrisse zurückgreift, um es überall zu erfassen, wo es sich abspielt. Er sagt ja zum Leben, zum stets neuen Leben. Er sagt: Ich bin schon da. Er sagt: Ich bin zugegen. Zugegen, um ihm beizuwohnen, es zu bewundern. Zugegen, um sich mit ihm aufzulehnen. Zugegen, um nein zu sagen zu den Plünderern, zu den Schwindlern; zu allen denjenigen, die es auf seinen niedrigsten Stand herabwürdigen. Zugegen, um auf der anderen Straßenseite zu sein, wo die Sonne, selbst wenn sie sie erreicht, schwarz ist, weil Verzweiflung und Melancholie ihr diese Weise auferlegt haben. Eine Weise, wie sie auch das Chanson anstimmt: das Chanson der Verrufenen, der Ungeliebten an den Straßenecken und -schluchten; das Chanson des frühen Morgens, an dem alle noch von der Nacht umschatteten Gesichter allein sind; das Chanson des billigen Rotweins – den man getrunken hat, den man trinken wird, zwischen zwei Nickerchen, zwischen zwei Hungerregungen, zwischen zwei Selbstmörderträumen von den Brücken herab, unter denen man, ohne Bleibe oder Unterkunft, doch immer einen Schlafplatz findet; das Chanson zum Trinken, für die Enttäuschungen, für die Abweichungen – nach links oder rechts –, Chansons, die Paris bis zur Seine durchmessen und untereinander jenen großen Wellenstrom entfachen, auf dem alle *piétons de Paris* in Sichtweite segeln.

Er ist einer von ihnen, nichts mehr. Einer, der unter anderen herumkreuzt, immer in Eile, immer geschäftig, mit einem einzigen Reflex Geste *und* Wort verbindend: flüchtiger Blick und Wink mit den Augen für diejenigen, die er grüßt, von nah oder fern, je nachdem, ob der Spaziergang schön, Wetter und Luft gut und die Zeiten nicht allzu schwierig sind.

»Aber das ist empörend, verstehst Du ...«, und bevor man noch recht begriffen hat, nennt er, das Objektiv weit geöffnet, die Stimme umso höher erhoben, je himmelschreiender die Fakten sind, Name und Ort des Skandals; er sieht rot, wo immer man tötet, wo immer man fällt, Menschen oder Bäume; er grüßt alle, die man in Charonne beweint, in Belleville vergißt, in Javel ausbeutet; er ist mit den Dichtern, die man ermordet, die man begräbt, die man vergißt, und mit allen, die, wortlos, nach der Zufallsfügung der Straßen, der Plätze, der Flüsse oder der Uferböschungen, die lebenden Ideogramme einer Stadt zusammensetzen, die unaufhörlich ihren Namen mit denen schreibt, die nicht nur Bestätigung ihrer selbst suchen, sondern manchmal auch Selbstvergessenheit.

Man kann Paris immer verlassen, Paris selbst verläßt einen nie.

Keinen Fuß breit, wie weit man auch seine Schritte anderswohin lenkt. Stets erwartet uns Paris irgendwo: sein Terminkalender ist voller Eintragungen, voller getroffener oder zu treffender Verabredungen. Henri Cartier-Bresson trifft sie, läßt sie fahren, er hat seine eigenen. Paris verändert sich, Paris feiert, schmollt – genau wie er. Als schwesterliche gute Seele spiegelt es ihm seine Stimmungen wider – die weniger verdrießlich sind als unstet –, seine Unruhen: als Klatschnest, als Sudelkoch, als Schwefelgrube; sein Stimmengewirr, sein Gläserklirren. Es lädt ihn in die Tuilerien, in den Bois, zu den Pferderennen, in die Oper: Diese ganze große Welt langweilt sich etwas – er auch, aber das Pariser Mosaik wäre ohne sie unvollständig. Heißt es Verrat an ihm begehen, wenn man behauptet, daß er sich den Feuerschluckern und Seiltänzern näher fühlt als den schlechten Wortklaubern und mondänen Zierpuppen? Für letztere der flüchtige, unnahbare Blick, der gezogene Hut und der Herzschlag für erstere – und dieser Herzschlag gilt ebenso Giacometti im Regen und Genet im Café wie dem schlafenden Clochard, der, die Pfoten seines Hundes in den Armen, an den Uferböschungen nächtigt, oder jenem anonymen Träumer, der die Pariser Luft eines nebligen Spätherbstes am Geländer eines Quais einsaugt.

Jedem sein Paris, und Paris wird gut dabei fahren. Die Einsätze des Jahres drehen sich um seine Moden, seine Pferderennen, seine Ausstellungen, seine Messen, seine Spiele mit dem Leben, mit dem Tod, die es sich an den Schwellen der Eingänge, in den Bistros, auf den Baustellen, in seinen Sackgassen und Gärten erzählt. Die schönste Stadt der Welt kann nur geben, was sie hat, aber alles, was sie gibt, ist *fürs Auge*, für den, der sie zu sehen versteht. Zu nehmen. Zu lieben.

Danach sagt er – Scham verpflichtet! –: »Gehen wir einen Schluck trinken?« Einen Schluck Rotwein an der Theke, im Stehen, schnell und heimlich, in der Fauvette, im Tabac an der Ecke oder am Platz, wo er einem zwischen zwei Gläsern sein Brevier von Freunden und sein Glaubensbekenntnis hersagt: »Alles, was ich heute liebe, ist die Malerei ... und die Photographie ist immer nur ein Annäherungsmittel dafür gewesen ... eine Art Momentzeichnung ...« Eine erste und eine letzte Wahrheit, denn man mag ihn ruhig neben sich oder sich gegenüber haben, es sind doch immer die menschlichen Landschaften, denen er sich zuwendet, sie, auf die sich sein Objektiv richtet, und sie, mit denen er seine heimlichen und kurzen Begegnungen verabredet und einfädelt. Außer wenn, in einem reglosen Augenblick, wie bei jenen Erforschern der großen Polarräume, die, wenn sie heimkehren, noch immer, in der Pupille kristallisiert, etwas von dem großen Erstaunen und der Blendung an sich haben, aus dem Augenhintergrund irgendein zu schönes oder zu trauriges Gesicht aufsteigt, das er hat vorbeigehen lassen, ohne es zu fixieren oder festzuhalten – weil Geheimnis und Elend weder zu fassen noch zu verkaufen sind, sondern zu achten, sagt er.

Er rezitiert auch Passagen von d'Aubigné, Rimbaud oder Nerval, die er stets bei sich trägt und liest und immer wieder liest, in der Métro, zwischen zwei Stationen; und wenn man ihn fragt: »Und was ist mit den Lebenden?«, hebt er bloß die Augen zum Himmel – den er zweifellos nicht um Vergebung anfleht – und wendet sie dann, als eine Art Antwort, den Lebenden in der Umgebung zu, für die er als Lichtbildner verantwortlich ist, so nachhaltig, daß er sich ihrer erwehren muß.

Das gesagt und gehört, geht er wieder ins Freie, das ihn aufnimmt und in dem er mit großen Landvermesserschritten verschwindet – mit denen er manchmal auch zurückkehrt, um einem zu sagen, was er vergessen zu haben fürchtet: »Vor allem darf nicht von mir die Rede sein ... noch von der Photographie ... Ich, Du verstehst ... Die Photographie, Du verstehst ...« Und man sagt, natürlich, daß man das versteht.

Man sagt ja zu allem. Und dann macht man es wie er – man verschwindet hinter dem Gegenstand und gehorcht nicht.

TAFELN

1

2

1953

3

1966

5

1966

1952

11

16

1952

1952

20

22

1956

25

1932

1952

1951

31
1929

33

1932

34

35

1969

36
1953

38

1952

1955

41

1952

43

47

1952

1974

49

1969

53

1964

56
1959

1968

58
_____
1955

1955

61

1938

62
1968

1968

68
1958

71

1958

74

1938

81

82

1952

83

85

1955

1951

90

1968

1952

1957

101

1954

1985

1961

1969

1932

1975

1959

109

1952

111

1952

1970

1952

117

1955

118

1952

120

1962

1976

123
1952

126

1954

128

1971

130

1953

131

1953

Unser Paris

André Pieyre de Mandiargues

Wenige Photographen könnten sich, wie mir scheint, rühmen, die Oberfläche unseres Planeten derart weitläufig durchmessen zu haben wie Henri Cartier-Bresson, dessen Werk nichts anderes ist als eine Summe von entscheidenden Momentaufnahmen der Alten und der Neuen Welt. Als er kürzlich Kardinal de Retz zitierte, schrieb er: »Es gibt nichts auf dieser Welt, das nicht einen entscheidenden Moment hätte.« Auf der Suche nach eben diesen Momenten hat er nicht innegehalten seit 1932, seinem dreiundzwanzigsten Lebensjahr, dem Datum des Kaufs seiner ersten Leica, dem wirklichen Beginn seiner Laufbahn als Photograph.

Spirituell zumindest oder zuinnerst, wenn man will, läßt sich der Ort dieses Beginns nirgendwo anders fixieren als in Paris, wo er klarer zu sehen gelernt hatte, zunächst mit der malerischen Ausbildung im Atelier von André Lhote, später dann mit der Entdeckung des Surrealismus und jenes Großmeisters, wie es in seiner Erinnerung wie in meiner der außerordentlich faszinierende André Breton bleibt, dessen im Jahre 1960 aufgenommenes Portrait zweifellos das schönste seiner Bildnisse ist.

So ist die augenblicklich im Musée Carnavalet gezeigte Ausstellung, die alles zusammenträgt, was Henri Cartier-Bresson von seinen älteren und neueren Paris-Photos wiedergefunden hat, sehr bekannt die einen, noch nie gesehen viele andere, die es verdienen, dem Vergessen entrissen zu werden – so ist diese Ausstellung schlechthin fesselnd. Möge die Minerva des 17. Jahrhunderts, die mir gegenübersteht, während ich dies schreibe und die eine Gestalt des Zeichens der Jungfrau über der schönen, ältesten Fassade des Carnavalet sein könnte, sie unter ihrem Olivenzweig mit Wohlwollen aufnehmen!

Paris war im Laufe der zehn Vorkriegsjahre eine Welt, die uns überall und immerwährend betörte, während Henri sich auf die Jagd nach Bildern machte und ich, der größere Faulpelz, ihn dabei begleitete, mich abmühend, aus meiner Adoleszenz herauszufinden, von der er sich bereits befreit hatte ... Der Leica, die ihn nie verließ, bediente er sich, scheint mir, etwa auf eben die Art und Weise, wie die Surrealisten sich der automatischen Schreibweise zu bedienen versuchten, gleichsam als Fenster, das man für die Einflüsterungen des Unbewußten und des Unvorhergesehenen offenzuhalten sich bemüht, in Erwartung der wunderbaren Schönheit, die sich jeden Augenblick zeigen kann und, wenn man sie zu erfassen verfehlt, sich einem nie mehr darbietet. Henri hörte während dieser Ausflüge vom einen Ende von Paris zum anderen, bei Tag und bei Nacht, überhaupt nicht auf zu erfassen. Die Leica ist zum Erfassen geschaffen, wegen der Vielzahl der möglichen Aufnahmen, die sie dem Photographen erlaubt, ohne daß er einen neuen Film einlegen müßte. Hat man sich einmal damit vertraut gemacht, läßt sie nichts, von dem, worauf der Blick gefallen ist, mehr entwischen. Das Notizheft des Schriftstellers ist ein im Vergleich dazu armseliges Werkzeug, das Notizheft, wie es von den Surrealisten jener Zeit übrigens eher geringgeschätzt wurde. Und die Pariser Bilder von Henri fallen häufig in die Kategorie des phantastisch-urbanen Wunderbaren, dessen Offenbarung wir auf den Seiten von *Nadja* und später von *L'amour fou* fanden. Was mich zu schreiben veranlaßt: ich glaube, daß die Photographien von Henri Cartier-Bresson Liebesakte sind wie die schönsten Bücher von André Breton, wie die besten Filme von Chaplin und Eisenstein, die so großen Einfluß auf meinen Freund von einst und jetzt hatten.

Wozu also hier ein unendliches Knäuel von gußeisernen Röhren (bei Citroën) vergegenwärtigen oder beschreiben, die Ankunft eines Sarges (wer, wann, wie, warum?), die kleinen Tänzerinnen am Seine-Ufer, die Verliebten an der Gare du Nord, die Liebenden im Jardin des Plantes, das maskierte Kind, das auf den Dächern Gangster spielt, den Mann vom Cours Albert Ier, die Tuilerien im Schnee? So einfach ist das Merkwürdige, daß der Beobachter sich nicht einmal über sein Vergnügen wundert, und Henri Cartier-Bresson zieht es vor, meine Aufmerksamkeit abzulenken, indem er mir von »Chez Boudon« erzählt, einer ganz besonderen Bar, die ganz oben an der Rue Pigalle lag und wo sich gegen sechs Uhr morgens die farbigen amerikanischen Musiker aus verschiedenen Nachtlokalen trafen, um bis zur Ertaubung und zu ihrem eigenen Vergnügen die atemberaubendsten Blues zu spielen, die wir je gehört hatten.

Eine Bar, die manche Surrealisten besuchten, in die wir manchmal bei Anbruch der Morgendämmerung gingen. Wenn nichts von alledem von der Leica festgehalten wurde, so kann das nur an der allzu dürftigen Beleuchtung gelegen haben. Aber die Erinnerung an die dort gehörte Musik begleitet die endlose Folge der schönen Schwarzweiß-Bilder, genau wie die an die großen Stummfilme, die ebenso modern bleiben wie Giotto, Piero della Francesca oder Paolo Uccello.

Tafelverzeichnis

Dank

Was ich Lothar Schirmer und der hingebungsvollen Arbeit von Maurice Coriat verdanke, habe ich eingangs bereits erwähnt. Danken möchte ich auch Françoise Renaud, Konservatorin am Musée Carnavalet und seinerzeit Betreuerin der Ausstellung »Paris à vue d'œil«, desgleichen Daniel Arnaud und Jean-Luc Monterosso von Paris Audiovisuel; der Agentur Magnum, insbesondere Marie-Pierre Giffey vom Archiv und ihrem bewundernswerten Gedächtnis; Georges Fèvre und den Mitarbeitern von Pictorial Service, die für die Abzüge der Bilder verantwortlich sind; Jean Genoud, dem Drucker in Lausanne, der es verstanden hat, alle Nuancen zu wahren; nicht zu vergessen Jean-Paul Oberthur und all die Verwandten und Freunde – die Liste würde lang werden –, die mir ihre Zuneigung und Unterstützung gewährten.

Ohne die Leica schließlich, meine Weggefährtin, vom ersten Apparat, der weder ein Tele noch ein auswechselbares Objektiv hatte, bis hin zur M6, wären diese Bilder der Unzuverlässigkeit des Gedächtnisses zum Opfer gefallen.

H. C.-B.

Die Texte von Vera Feyder und André Pieyre de Mandiargues
übertrug Hans-Horst Henschen aus dem Französischen.

Die Deutsche Bibliothek – CIP-Einheitsaufnahme
Cartier-Bresson, Henri:
Apropos de Paris/Henri Cartier-Bresson. Mit Texten von Vera Feyder und
André Pieyre de Mandiargues, verfaßt für die Ausstellung
»Paris à vue d'œil«. [Die Texte übertr. Hans-Horst Henschen aus dem Franz.]
München ; Paris ; London : Schirmer/Mosel, 1997
ISBN 3-88814-295-4
NE: Feyder, Vera [Mitarb.]

Printed in Switzerland by Jean Genoud S.A., Lausanne
ISBN 3-88814-295-4
Eine Schirmer/Mosel Produktion

Programminformation im Internet:
http://www.schirmer-mosel.de